Gdy idziesz przez dżunglę

Walking through
the Jungle

Mantra Lingua
Global House
303 Ballards Lane
London N12 8NP
www.mantralingua.com

Gdy idziesz przez dżunglę

Walking through the Jungle

Illustrated by Debbie Harter

Polish translation by Jolanta Starek-Corile

Gdy idziesz przez dżunglę,

Walking through the jungle,

Cóż widzisz takiego?

What do you see?

I think I see a lion, chasing after me.

Roar!

Grrr!

Chyba widzę lwa, mnie ścigającego.

Gdy pływasz w oceanie,

Floating on the ocean,

Cóż widzisz takiego?

What do you see?

I think I see a whale, chasing after me.

Whoosh!

Szust!

Chyba widzę wieloryba,
mnie ścigającego.

Gdy wspinasz się w górach,

Climbing in the mountains,

Cóż widzisz takiego?

What do you see?

Chyba widzę wilka, mnie ścigającego.

Gdy pływasz w rzece,

Swimming in the river,

Cóż widzisz takiego?

What do you see?

I think I see a crocodile, chasing after me.

Snap!

Kłap!

Chyba widzę krokodyla,
mnie ścigającego.

Gdy wędrujesz przez pustynię,

Trekking in the desert,

Cóż widzisz takiego?

What do you see?

Chyba widzę węża,
mnie ścigającego.

Gdy zjeżdżasz z góry lodowej,

Slipping on the iceberg,

Cóż widzisz takiego?

What do you see?

I think I see a polar bear,
chasing after me.

Growl!

Grrr!

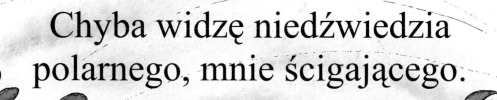

Chyba widzę niedźwiedzia
polarnego, mnie ścigającego.

Gdy biegniesz do domu na kolację,

Running home for supper,

Gdzie się podziewałaś?

Where have you been?

Zwiedzałam dookoła świat,

I've been around the world and back,

I zgadnij, co widziałam.

And guess what I have seen.